大艺术家讲萌趣动物

蜜　　蜂

[法]蒂埃里·德迪厄◎著/绘　　郑宇芳◎译

四川科学技术出版社

写在前面的话

《美丽中国》纪录片副导演　杨晔

　　从我记事开始，动物总是相伴于我的生活和成长。下雨天，门前马路上跳过的青蛙，动物园里在笼中徘徊的黑豹，小学毕业旅行时在青海湖见到的一群斑头雁，初中在操场做操时飞过树林的一只大猫头鹰……这些记忆伴随着我的成长，为一个孩子的童年带来了无限的快乐和梦想。

　　那时，互联网还没有普及，想要了解动物知识并非易事，介绍动物的科普书大部分是文字版的，而且充满了各种专业名词，对于一个刚刚识字的孩子来说，只能望书兴叹。毕业后，我进入英国广播电视公司（BBC）自然历史部，从事野生动物纪录片的相关制作工作。在工作之余的闲暇时光，我和同事们一起吃饭聊天，才知道他们并不一定是野生动物专业科班出身，但他们从小都非常热爱自然、热爱动物。他们通过各种渠道来了解动物们的种种故事，而图书，特别是那些制作精美、画面生动的科普图画书，曾在他们幼小的心灵里播撒下了科学的种子，激起了他们对自然的热爱、对动物保护的兴趣，促使他们将这种热爱和兴趣发展成为职业，从而开始了动物保护事业。

　　今天，我很高兴可以和大家聊聊这样的科普图画书。这套《大艺术家讲萌趣动物》由法国著名的艺术家、图画书作家蒂埃里·德迪厄创作，他在法国享有盛

名，曾荣获女巫奖、龚古尔文学奖等重要奖项。为了表彰他在儿童文学领域取得的巨大成就，2010年，他被授予法国儿童图书大奖——"魔法师特别大奖"。他的画风简洁、活泼可爱，文笔则透露出机智和幽默，深受小朋友们的喜爱。这套专门为学龄前儿童创作的图画书简约但不简单，作者精心选取了自然界中孩子们最感兴趣的多种动物，用幽默风趣的绘画和简洁明了的文字描绘了这些动物或广为人知，或普通人鲜有耳闻的行为和习性，从而帮助孩子们走近和了解这些动物。通过阅读这些书，孩子们了解到：童话中的大灰狼在现实中也有它害怕的天敌；勤劳的蜜蜂是舞蹈高手，因为它们要通过跳舞来传递信息；大猩猩和人类一样，也会使用工具；雄狮的工作不是捕食，而是巡视领地……这些知识对孩子们而言十分容易理解和接受，孩子们通过阅读，能感受动物世界的神奇与美好，而这也正是作者希望通过这些书传递给小读者们的情感。

　　作为一名科普教育工作者，我为孩子们有机会读到这样的优质图书而高兴。希望孩子们在阅读之后，能更好地感知和认识动物的生存价值，尊重和爱护它们；将动物当作人类真正的朋友，不去伤害它们，和它们和平共处，共同维护更加美好的地球家园。

　　让我们一起走进美好的动物世界，去感受自然的神奇和伟大吧！

"不，我不是来偷蜂蜜的！"

蜜蜂是一种昆虫，有6只足。
世界上有两万多种蜜蜂，
只有工蜂采集花粉和酿造蜂蜜。

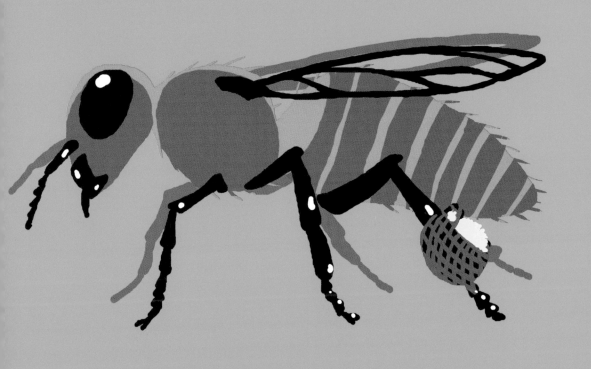

蜜蜂的后足上有一个粉筐。

有了粉筐，蜜蜂就能运输采到的花粉球。

一个蜂群一般包含：
一只蜂后、上百只雄蜂，
还有成千上万只工蜂。

在完成受精后，
蜂后会把雄蜂从蜂群中赶走。

蜂后每天最多能产 2 000 个卵。

这些卵大多会在3天之内孵化成幼虫，
大约6天后变成蛹，
大约12天后变成成虫。

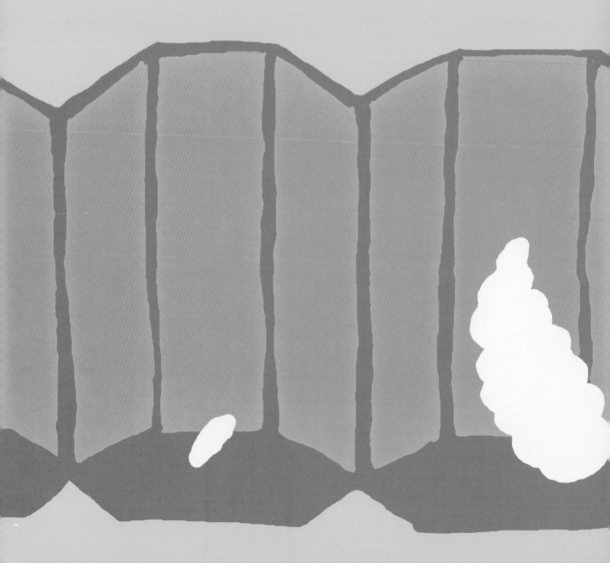

工蜂在一生中要扮演以下角色：
保卫领地的警员、
照顾幼虫的保姆、
筑造蜂巢的泥瓦匠、
抵御外敌的士兵和采集食物的农民。

一只蜜蜂一天能够采集多达5 000朵花的花粉。

通过采集花粉，蜜蜂帮助花卉和草木授粉繁殖。

蜜蜂通过跳舞来传递信息。

比如，指引方向。

大胡蜂是蜜蜂最害怕的敌人。

但是，杀虫剂才是导致
蜜蜂死亡的主要原因。

每当春暖花开的时候，随着鲜花的绽放，一群有着良好"社会秩序"的昆虫也开始了辛勤的劳作——蜜蜂是最具代表性的"劳动楷模"。在丛丛簇簇的花朵间，总能看到它们忙碌的身影。

谈到蜜蜂，对于小朋友们来说，印象最为深刻的不外乎两方面：一是传粉采蜜的辛勤劳动者，作为一种依靠花粉和花蜜为生的昆虫，与花为伴就成了它们生活的重心；二是蛮横的毒针携带者，最好不要轻易招惹它们，如果有人主动冒犯，让它们感觉受到了威胁，这些看起来娇小的小家伙可是会蜇人的。

采集花粉和花蜜是一项十分辛苦的工作，蜂群会先派出工蜂去寻找蜜源。可是怎么把蜜源的位置告知蜂群呢？蜜蜂为此专门发明了传递信息的舞蹈：如果蜜源的距离近，就跳"圆圈舞"，距离远的话则是"8字舞"；它们在跳舞时，头与太阳的朝向还决定了蜜源与太阳的位置关系。这样一种看上去原始而微小的昆虫，居然有如此精准的"语言系统"，更有着严谨的社会分工和等级观念，让我们不得不对小小的蜜蜂刮目相看。

如果没有这些小家伙的存在，地球上的大量植物可能都会消失，包括我们生活所必需的很多蔬菜水果。所以，即使是一只小小的蜜蜂，也请你一定要善待它。

图书在版编目（CIP）数据

大艺术家讲萌趣动物 . 蜜蜂 /（法）蒂埃里·德迪厄
著、绘；郑宇芳译 . -- 成都：四川科学技术出版社，
2021.8
ISBN 978-7-5727-0207-5

Ⅰ . ①大… Ⅱ . ①蒂… ②郑… Ⅲ . ①动物 – 儿童读
物②蜜蜂 – 儿童读物 Ⅳ . ① Q95-49 ② Q969.557.7-49

中国版本图书馆CIP数据核字(2021)第156541号

著作权合同登记图进字21-2021-251号

L'abeille
By Thierry Dedieu
© Editions du Seuil, 2014
Simplified Chinese translation copyright © 2021 by TB Publishing Limited
All Rights Reserved.

大艺术家讲萌趣动物·蜜蜂
DA YISHUJIA JIANG MENG QU DONGWU · MIFENG

出 品 人	程佳月
著 者	［法］蒂埃里·德迪厄
译 者	郑宇芳
责任编辑	梅 红
助理编辑	张 姗
策 划	奇想国童书
特约编辑	李 辉
特约美编	李困困
责任出版	欧晓春
出版发行	四川科学技术出版社

成都市槐树街2号 邮政编码：610031
官方微博：http://weibo.com/sckjcbs
官方微信公众号：sckjcbs

传真：028-87734035

成品尺寸	180mm×260mm	印 张	2	
字 数	40千	印 刷	河北鹏润印刷有限公司	
版 次	2021年10月第1版	印 次	2021年10月第1次印刷	
定 价	16.80元	ISBN 978-7-5727-0207-5